Easy Steps
to Chinese
for Kids

# 1b

**Workbook**
**英文版**

轻松学中文
少儿版

**Yamin Ma**
**Xinying Li**

北京语言大学出版社
BEIJING LANGUAGE AND CULTURE
UNIVERSITY PRESS

图书在版编目（CIP）数据

轻松学中文练习册：少儿版：英文版. 1b ／ 马亚敏，李欣颖编著.
－北京：北京语言大学出版社，2012.2（2021.7重印）
（轻松学中文）
ISBN 978-7-5619-3236-0

Ⅰ.①轻... Ⅱ.①马...②李... Ⅲ.①汉语－对外汉语教学
－习题集 Ⅳ.①H195.4

中国版本图书馆CIP数据核字（2012）第019216号

| | |
|---|---|
| 书　　　名 | 轻松学中文（英文版）少儿版 练习册.1b |
| 责任编辑 | 王亚莉　孙玉婷 |
| 美术策划 | 王　宇 |
| 封面设计 | 王　宇　王章定 |
| 版式设计 | 北京鑫联必升文化发展有限公司 |
| 责任印制 | 周　燚 |

出版发行　北京语言大学出版社
社　　址　北京市海淀区学院路15号　邮政编码：100083
网　　址　www.blcup.com

电　　话　编辑部 8610-82303647/3592
　　　　　发行部 8610-82303650/3591/3651/3080
　　　　　读者服务部 8610-82303653/3908
网上订购　8610-82303668 service@blcup.com
印　　刷　北京中科印刷有限公司
经　　销　全国新华书店

版　　次　2012年2月第1版　2021年7月第10次印刷
开　　本　889mm×1194mm　1/16　印张：4
字　　数　15千字
书　　号　ISBN 978-7-5619-3236-0/H.12014
　　　　　04800

©2012 北京语言大学出版社

*Easy Steps to Chinese for Kids (Workbook) 1b*
Yamin Ma, Xinying Li

| | |
|---|---|
| Editor | Yali Wang, Yuting Sun |
| Art design | Arthur Y. Wang |
| Cover design | Arthur Y. Wang, Zhangding Wang |
| Graphic design | Beijing XinLianBiSheng Cultural Development Co., Ltd |

Published by
Beijing Language & Culture University Press
No.15 Xueyuan Road, Haidian District, Beijing, China 100083

Distributed by
Beijing Language & Culture University Press
No.15 Xueyuan Road, Haidian District, Beijing, China 100083

First published in February 2012
Printed in China
Copyright © 2012 Beijing Language & Culture University Press

Website: www.blcup.com

# ACKNOWLEDGEMENTS

A number of people have helped us to put the books into publication. Particular thanks are owed to the following:

- 戚德祥先生、张健女士、苗强先生 who trusted our expertise in the field of Chinese language teaching and learning

- Editors 王亚莉女士、唐琪佳女士、黄英女士、孙玉婷女士 for their meticulous work

- Graphic designers 王章定先生、李越女士 for their artistic design for the cover and content

- Art consultant Arthur Y. Wang for his professional guidance and artists 陆颖女士、孙颉先生、陈丽女士 for their artistic ability in beautiful illustration

- Chinese teachers from the kindergarten section and Heads of the Chinese Department of Xavier School 李京燕女士、余莉莉女士 for their helpful advice and encouragement

- And finally, members of our families who have always given us generous support

# CONTENTS 目 录

# 第一课 爸爸、妈妈

## 1. Match the pictures with the Chinese.

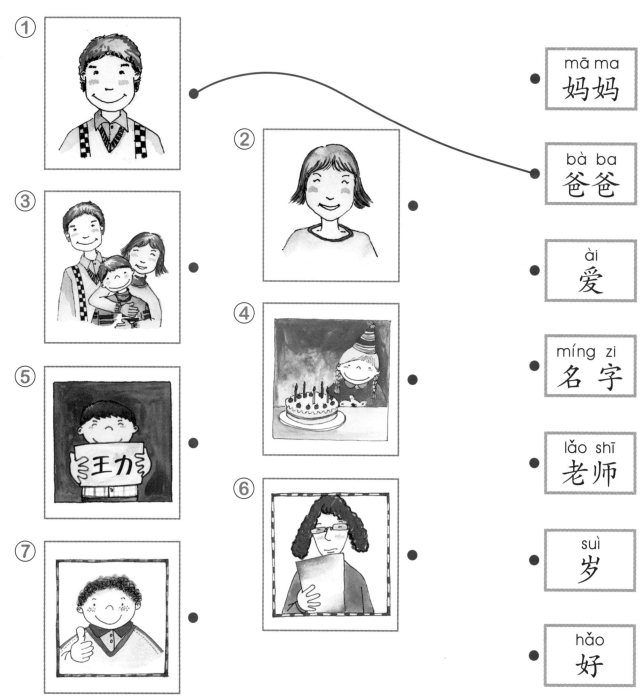

2. Count up and write down the number of each type of buttons.

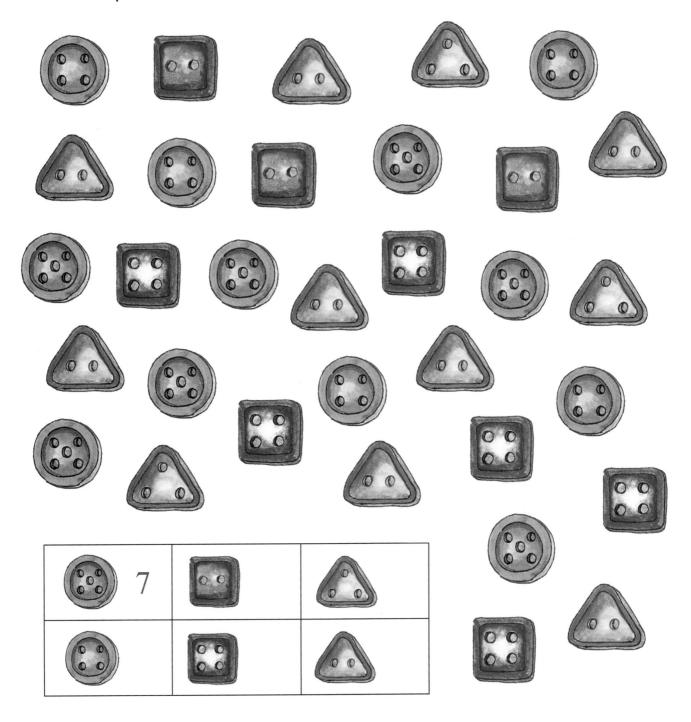

3. Match the Chinese with the *pinyin* and meaning.

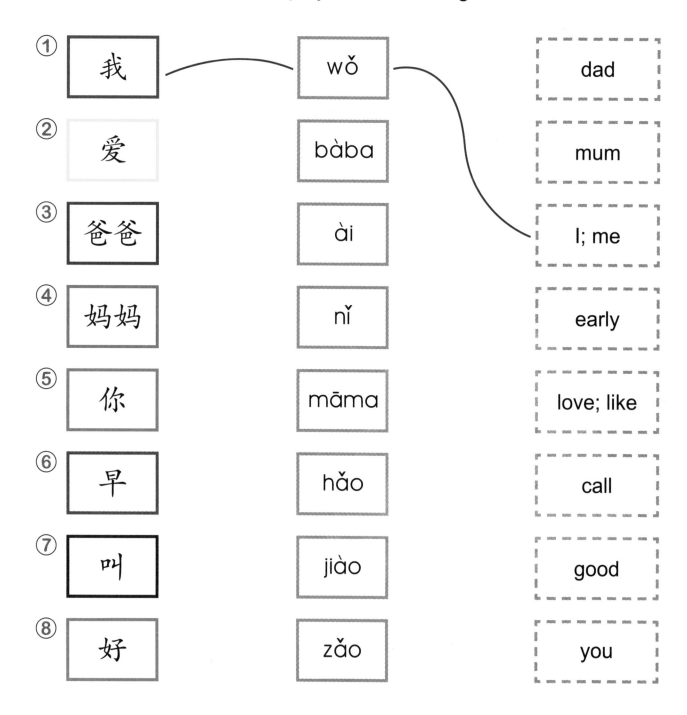

| ① 我 | wǒ | dad |
| ② 爱 | bàba | mum |
| ③ 爸爸 | ài | I; me |
| ④ 妈妈 | nǐ | early |
| ⑤ 你 | māma | love; like |
| ⑥ 早 | hǎo | call |
| ⑦ 叫 | jiào | good |
| ⑧ 好 | zǎo | you |

## 4. Write the strokes.

① 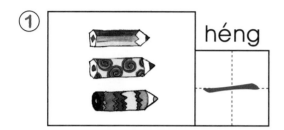 héng

②  héng zhé wān gōu

③ 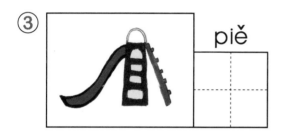 piě

④ 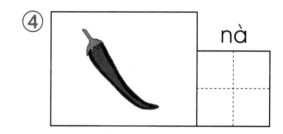 nà

⑤ 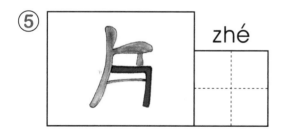 zhé

⑥ 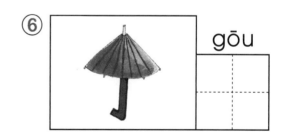 gōu

⑦ 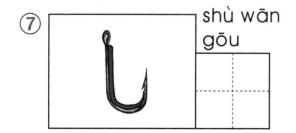 shù wān gōu

⑧ 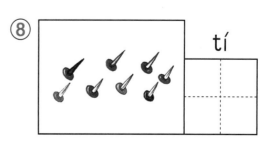 tí

## 5. Match the pictures with the Chinese.

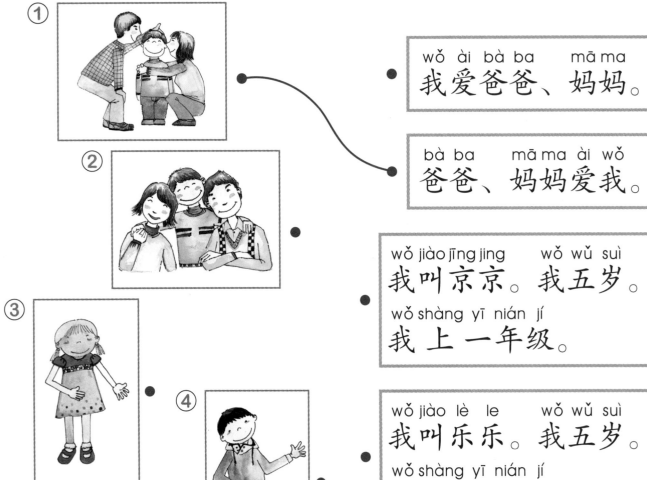

wǒ ài bà ba　　mā ma
我爱爸爸、妈妈。

bà ba　　mā ma ài wǒ
爸爸、妈妈爱我。

wǒ jiào jīng jing　　wǒ wǔ suì
我叫京京。我五岁。
wǒ shàng yī nián jí
我 上 一 年级。

wǒ jiào lè le　　wǒ wǔ suì
我叫乐乐。我五岁。
wǒ shàng yī nián jí
我 上 一 年级。

wǒ jiào dīng yī　　wǒ liù suì
我叫丁一。我六岁。
wǒ shàng yī nián jí
我 上 一 年级。

6. Write down the missing numbers.

| yī 一 | èr 二 | | sì 四 | wǔ 五 |
| shí liù 十六 | | shí bā 十八 | shí jiǔ 十九 | |
| shí wǔ 十五 | | | | qī 七 |
| | | | | bā 八 |
| shí sān 十三 | shí èr 十二 | shí yī 十一 | shí 十 | |

 3 _____    _____    _____

 _____    _____    _____

## 7. Find and trace the strokes with the colours given.

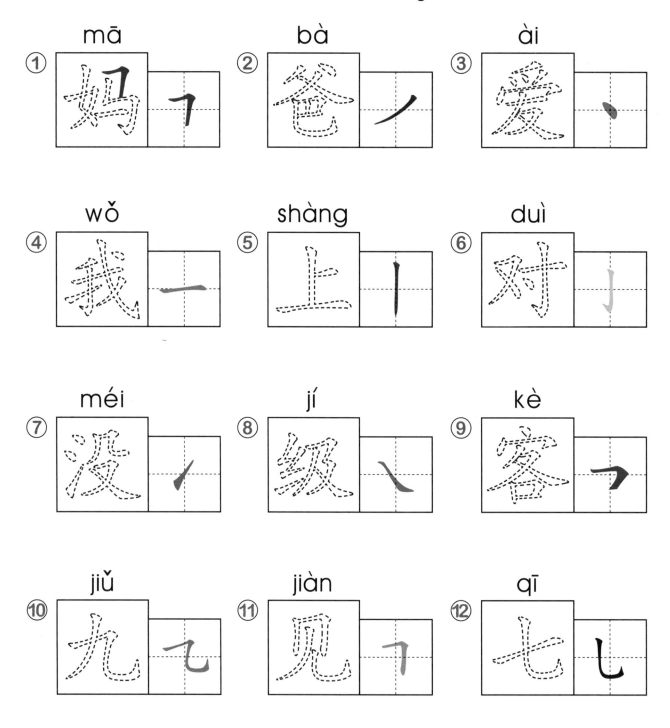

mā ① bà ② ài ③

wǒ ④ shàng ⑤ duì ⑥

méi ⑦ jí ⑧ kè ⑨

jiǔ ⑩ jiàn ⑪ qī ⑫

8. Fill in the boxes with the words given. Write down the letters.

1) 我 [d] 爸爸、妈妈。
wǒ bà ba mā ma

2) 你 [ ] 什么名字?
nǐ shén me míng zi

3) 乐乐 上一年 [ ] 。
lè le shàng yī nián

4) 你 [ ] 岁?
nǐ suì

5) 老师,您 [ ] !
lǎo shī nín

6) 京京五 [ ] 。
jīng jing wǔ

7) 对 [ ] 起!
duì qǐ

8) [ ] 关系。
guān xi

9) 谢谢 [ ] !
xiè xie

10) 不客 [ ] 。
bú kè

---

a) 级    b) 不    c) 几    d) 爱    e) 没
jí       bù      jǐ      ài      méi

f) 好    g) 气    h) 岁    i) 你    j) 叫
hǎo      qì      suì     nǐ      jiào

# 第二课 哥哥、姐姐

1. Match the pictures with the Chinese.

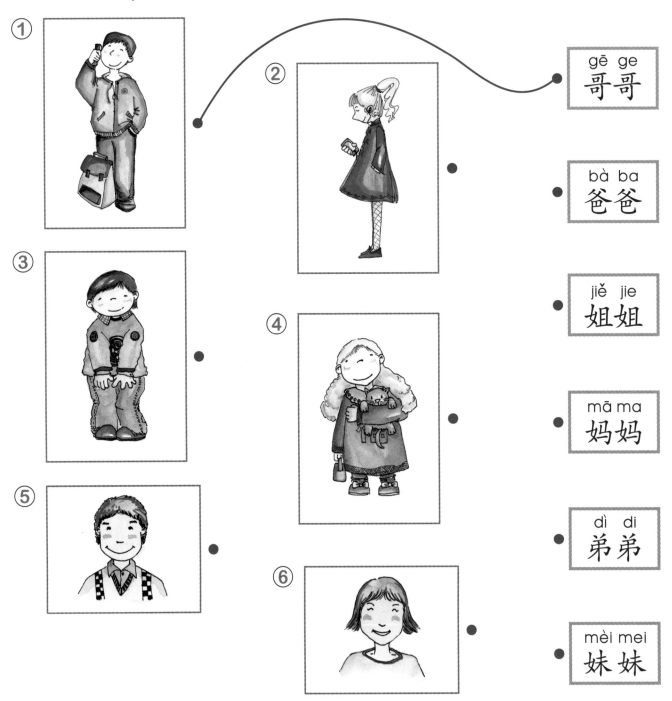

## 2. Draw the other half and colour it in.

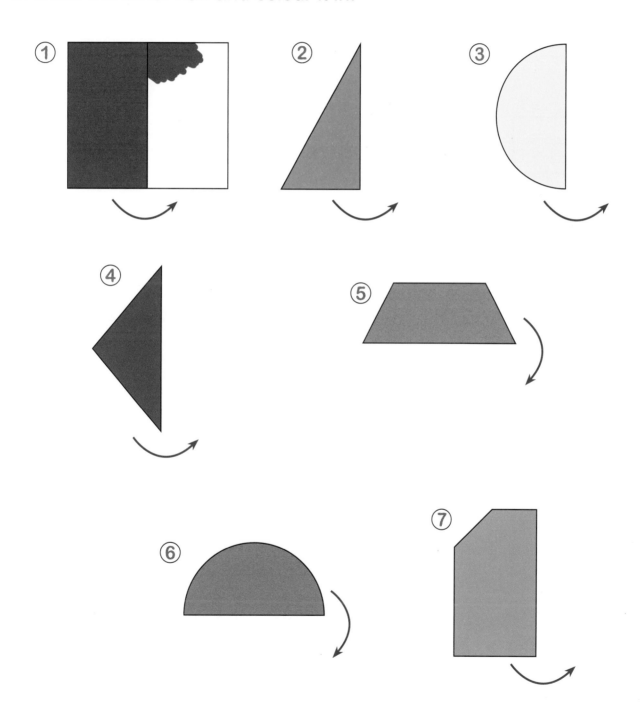

3. Match the Chinese with the *pinyin* and meaning.

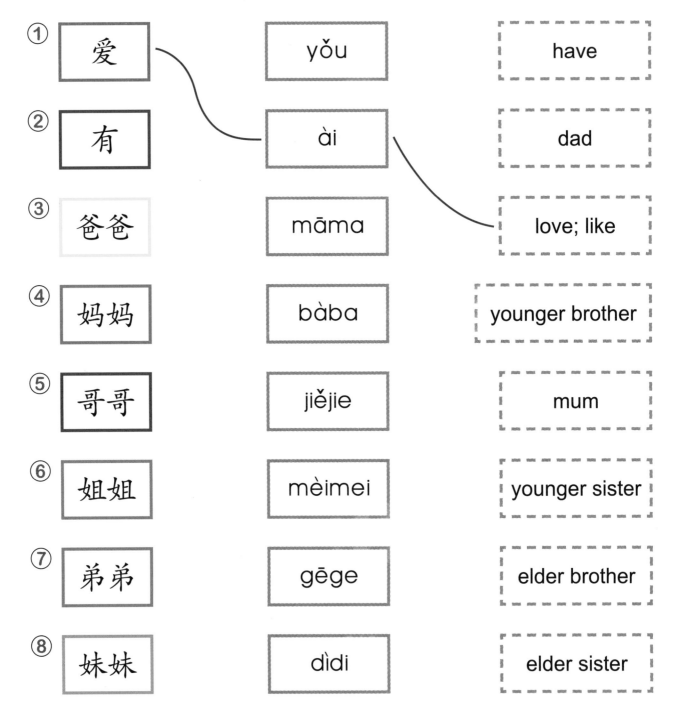

| ① | 爱 | yǒu | have |
| ② | 有 | ài | dad |
| ③ | 爸爸 | māma | love; like |
| ④ | 妈妈 | bàba | younger brother |
| ⑤ | 哥哥 | jiějie | mum |
| ⑥ | 姐姐 | mèimei | younger sister |
| ⑦ | 弟弟 | gēge | elder brother |
| ⑧ | 妹妹 | dìdi | elder sister |

## 4. Write the strokes.

①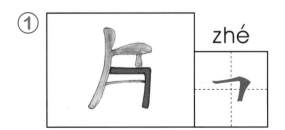
zhé

②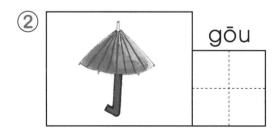
gōu

③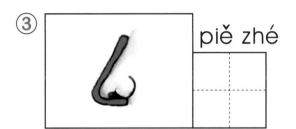
piě zhé

④
héng zhé wān gōu

⑤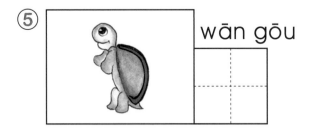
wān gōu

⑥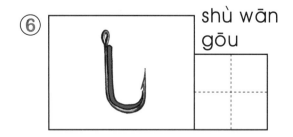
shù wān gōu

⑦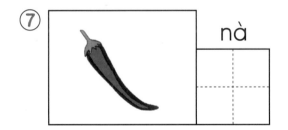
nà

⑧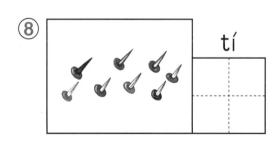
tí

## 5. Match the Chinese with the English.

① wǒ ài bà ba    mā ma
我爱爸爸、妈妈。

② wǒ yǒu jiě jie
我有姐姐。

③ jīng jing yǒu gē ge
京京有哥哥。

④ bà ba    mā ma ài wǒ
爸爸、妈妈爱我。

⑤ nǐ jiào shén me míng zi
你叫什么名字?

⑥ wǒ wǔ suì
我五岁。

⑦ lè le shàng yī nián jí
乐乐上一年级。

⑧ wáng lǎo shī    nín hǎo
王老师,您好!

I have an elder sister.

I love my mum and dad.

Mum and dad love me.

Jingjing has an elder brother.

I'm five years old.

Lele is in Grade 1.

What's your name?

Hello, Ms. Wang!

## 6. Match the pictures with their shadows.

7. Find and trace the strokes with the colours given.

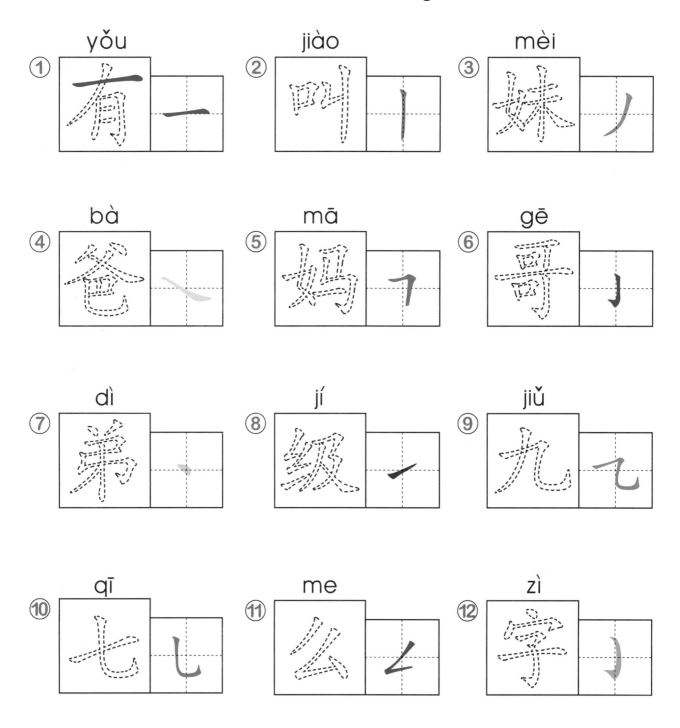

8. Fill in the boxes with the words given. Write down the letters.

1) lè le 乐乐 [ e ] gē ge 哥哥。

6) [ ] xie nǐ 谢你!

2) wǒ 我 [ ] bà ba 爸爸、mā ma 妈妈。

7) zài 再 [ ]!

3) dīng yī 丁一 [ ] yī nián jí 一年级。

8) nín 您 [ ]!

4) wǒ 我 [ ] tián lì 田力。

9) [ ] kè qi 客气。

5) jīng jing wǔ 京京五 [ ]。

10) [ ] guān xi 关系。

---

jiào
a) 叫

suì
b) 岁

ài
c) 爱

méi
d) 没

yǒu
e) 有

xiè
f) 谢

jiàn
g) 见

shàng
h) 上

bù
i) 不

hǎo
j) 好

# 第三课 眼睛、鼻子

1. Match the pictures with the Chinese.

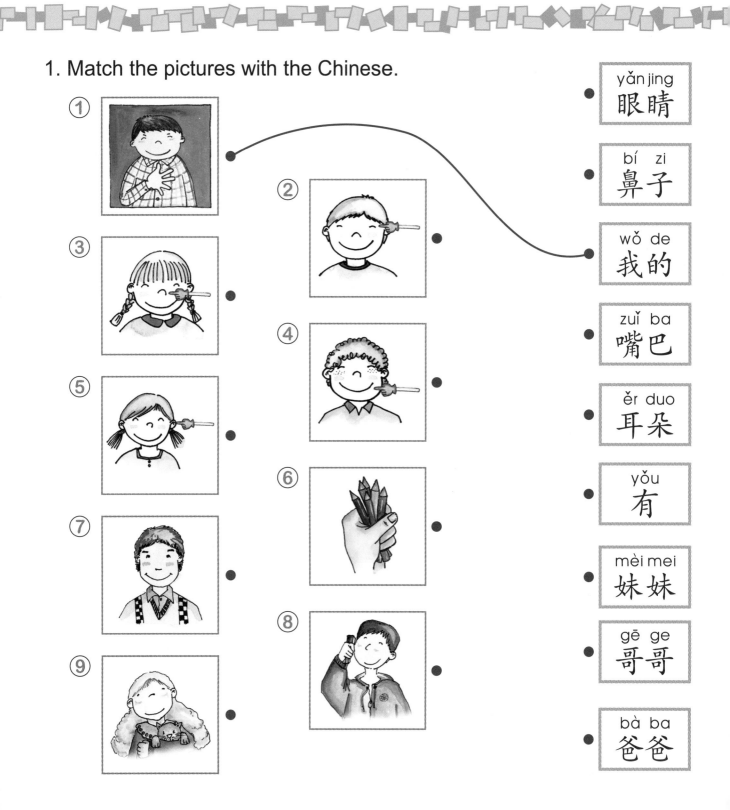

## 2. Circle the parts of the body.

ěr duo
耳朵

zuǐ ba
嘴巴

bí zi
鼻子

bí zi
鼻子

yǎn jing
眼睛

zuǐ ba
嘴巴

yǎn jing
眼睛

zuǐ ba
嘴巴

ěr duo
耳朵

3. Match the Chinese with the *pinyin* and meaning.

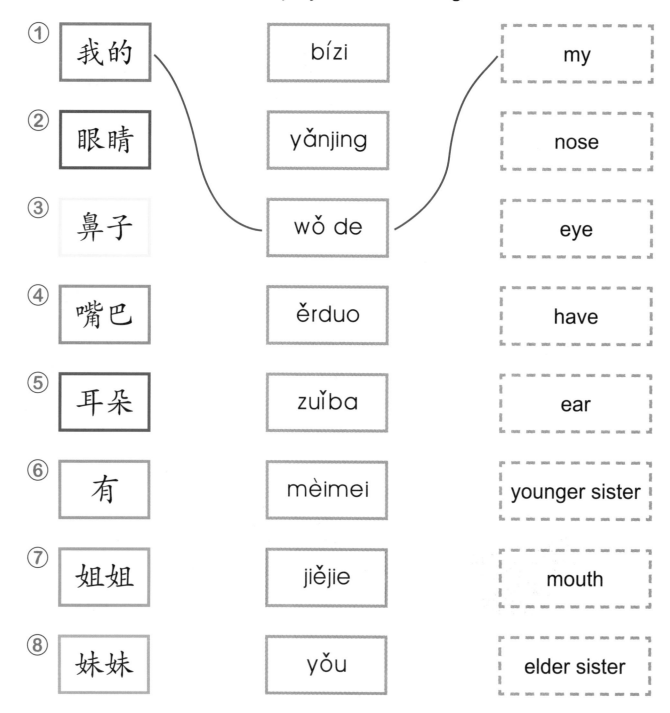

| | | |
|---|---|---|
| ① 我的 | bízi | my |
| ② 眼睛 | yǎnjing | nose |
| ③ 鼻子 | wǒ de | eye |
| ④ 嘴巴 | ěrduo | have |
| ⑤ 耳朵 | zuǐba | ear |
| ⑥ 有 | mèimei | younger sister |
| ⑦ 姐姐 | jiějie | mouth |
| ⑧ 妹妹 | yǒu | elder sister |

## 4. Write the strokes.

① 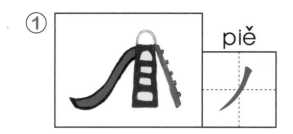 piě

② 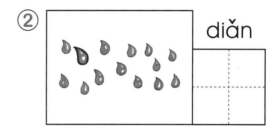 diǎn

③ 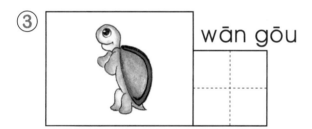 wān gōu

④ 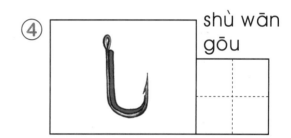 shù wān gōu

⑤ 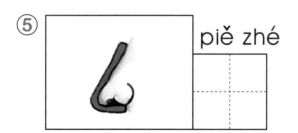 piě zhé

⑥  héng zhé wān gōu

⑦ 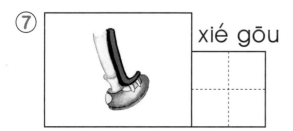 xié gōu

⑧ 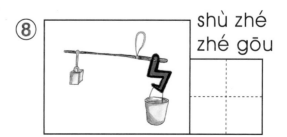 shù zhé zhé gōu

5. Read the Chinese phrases on the right and match them with the
   pictures. Circle the parts of the body.

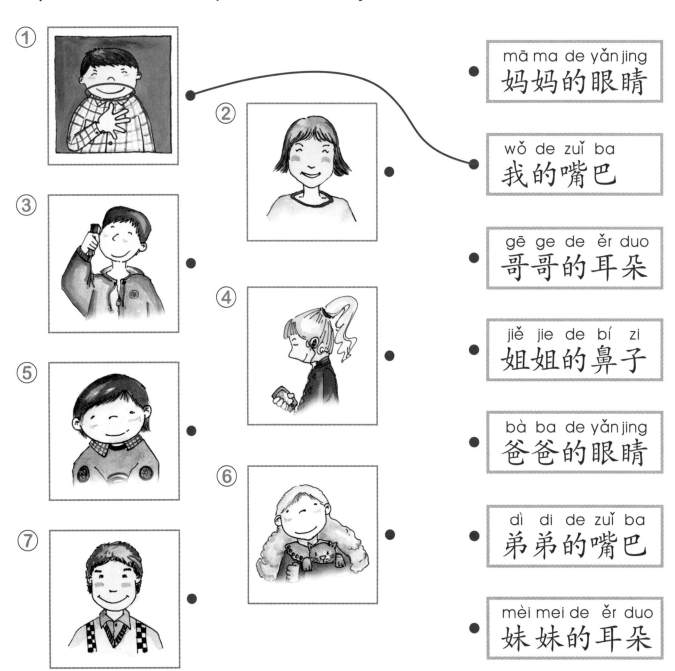

① 

② 

③ 

④ 

⑤ 

⑥ 

⑦ 

mā ma de yǎn jing
妈妈的眼睛

wǒ de zuǐ ba
我的嘴巴

gē ge de ěr duo
哥哥的耳朵

jiě jie de bí zi
姐姐的鼻子

bà ba de yǎn jing
爸爸的眼睛

dì di de zuǐ ba
弟弟的嘴巴

mèi mei de ěr duo
妹妹的耳朵

6. Choose the right parts of the body for the bear. Write down the
   numbers in the boxes.

① ěr duo
耳朵

② bí zi
鼻子

③ zuǐ ba
嘴巴

④ yǎnjing
眼睛

⑤ ěr duo
耳朵

⑥ bí zi
鼻子

⑦ zuǐ ba
嘴巴

⑧ yǎnjing
眼睛

## 7. Write down the strokes that each character has.

jiǔ
①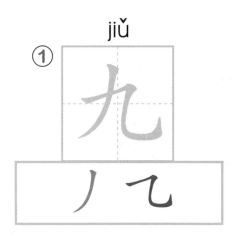

qī
②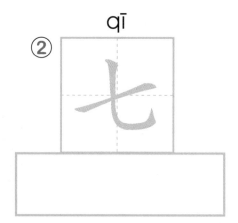

me
③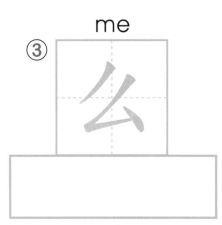

shí
④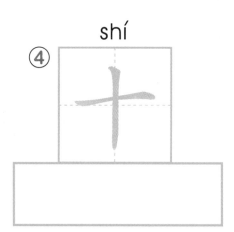

bù
⑤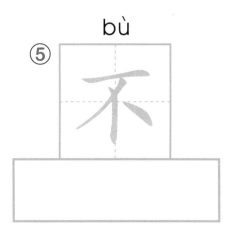

bā
⑥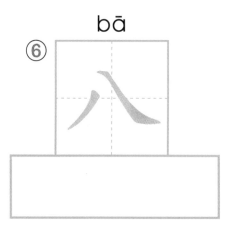

8. Match the Chinese with the English.

① nǐ hǎo 你好！

② zài jiàn 再见！

③ duì bu qǐ 对不起！

④ méi guān xi 没关系。

⑤ xiè xie nǐ 谢谢你！

⑥ bú kè qi 不客气。

⑦ nǐ shàng jǐ nián jí 你上几年级？

⑧ wáng lǎo shī 王老师， nín zǎo 您早！

Hello!

I'm sorry.

Good morning, Ms. Wang.

Good-bye!

Thank you!

Which grade are you in?

You're welcome.

Never mind.

1. Match the pictures with the Chinese.

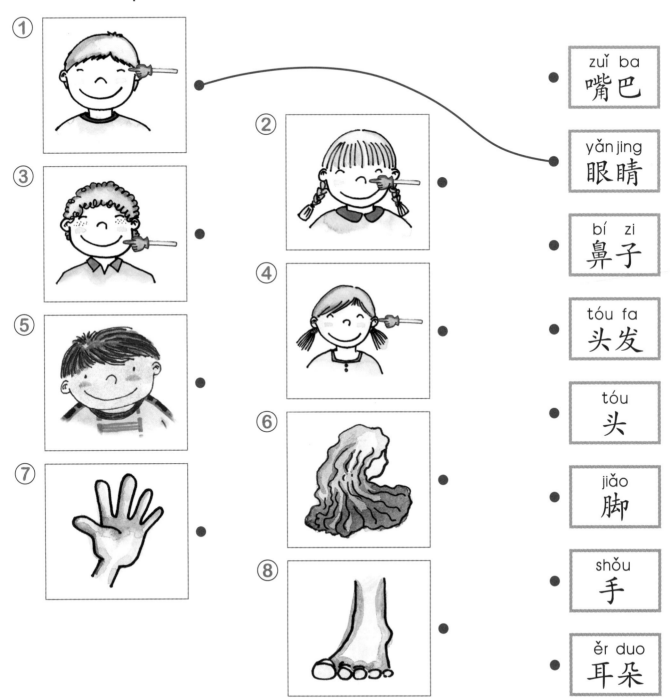

## 2. Circle the parts of the body.

wǒ de shǒu
我的手

wǒ de tóu
我的头

wǒ de jiǎo
我的脚

wǒ de tóu fa
我的头发

wǒ de bí zi
我的鼻子

wǒ de yǎn jing
我的眼睛

3. Match the Chinese with the *pinyin* and meaning.

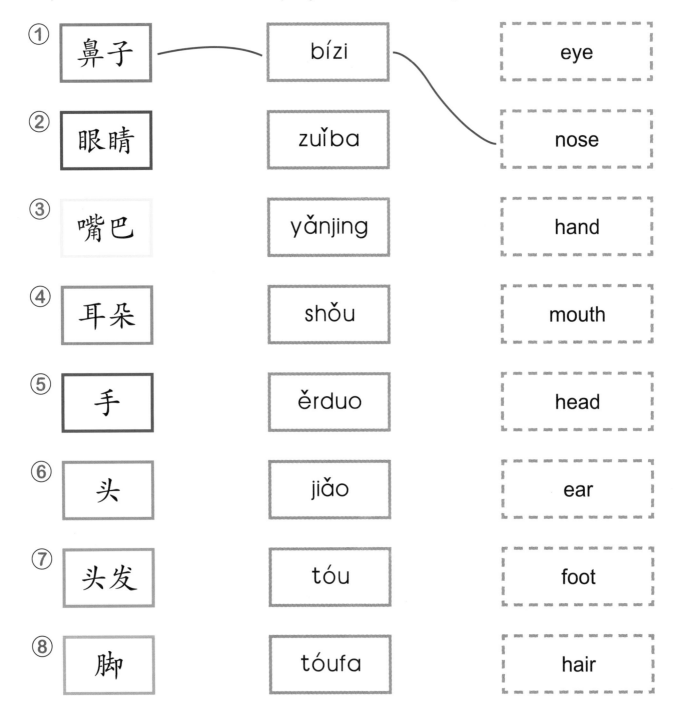

| ① 鼻子 | bízi | eye |
| ② 眼睛 | zuǐba | nose |
| ③ 嘴巴 | yǎnjing | hand |
| ④ 耳朵 | shǒu | mouth |
| ⑤ 手 | ěrduo | head |
| ⑥ 头 | jiǎo | ear |
| ⑦ 头发 | tóu | foot |
| ⑧ 脚 | tóufa | hair |

## 4. Write the strokes.

① 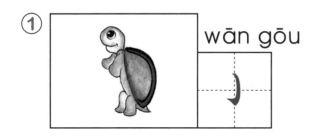 wān gōu

② 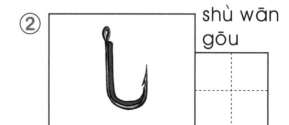 shù wān gōu

③ 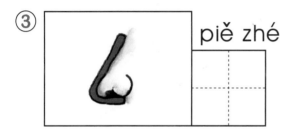 piě zhé

④  héng zhé wān gōu

⑤ 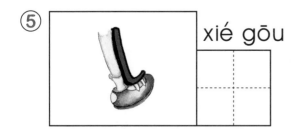 xié gōu

⑥ 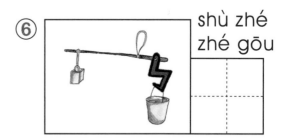 shù zhé zhé gōu

⑦  héng zhé gōu

⑧  piě diǎn

## 5. Colour in the boy.

①  yǎn jing
眼睛

② bí zi
鼻子

③ zuǐ ba
嘴巴

④ ěr duo
耳朵

⑤ shǒu
手

⑥ jiǎo
脚

⑦ tóu fa
头发

6. Find and match the strokes with the ones given. Trace over them.

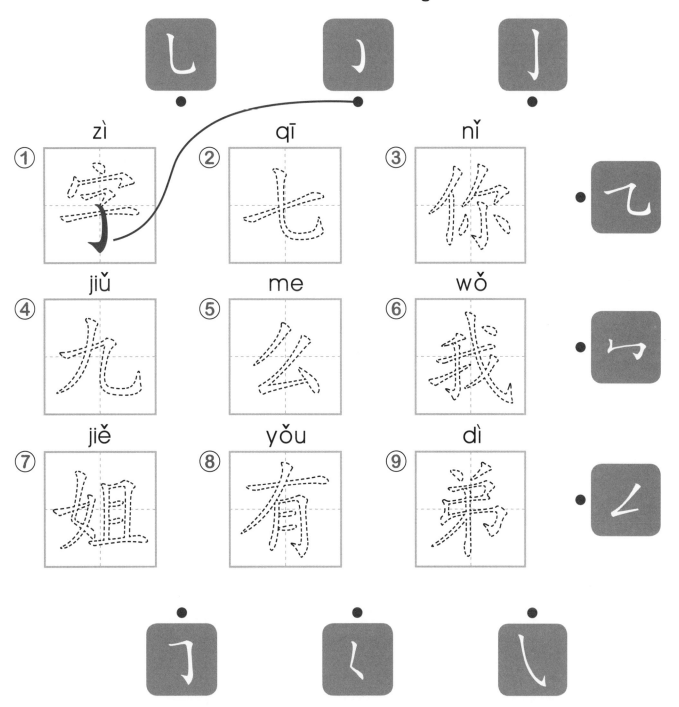

7. Complete the drawings and colour them in. Match the parts of the body with the Chinese.

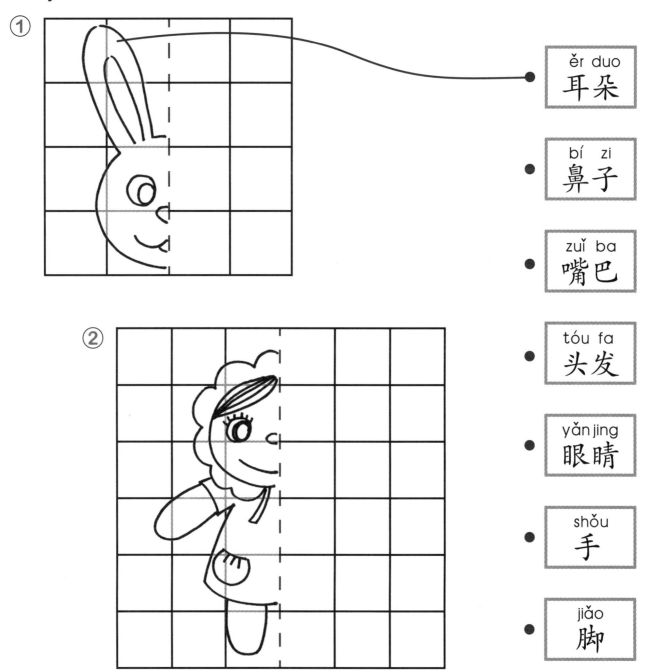

| | |
|---|---|
| | ěr duo 耳朵 |
| | bí zi 鼻子 |
| | zuǐ ba 嘴巴 |
| | tóu fa 头发 |
| | yǎn jing 眼睛 |
| | shǒu 手 |
| | jiǎo 脚 |

8. Match the Chinese with the *pinyin* and meaning.

| | | | |
|---|---|---|---|
| ① | 我的头 | wǒ de jiǎo | my feet |
| ② | 我的手 | wǒ de tóu | my eyes |
| ③ | 我的脚 | wǒ de shǒu | my head |
| ④ | 我的眼睛 | wǒ de bízi | my hands |
| ⑤ | 我的鼻子 | wǒ de zuǐba | my mouth |
| ⑥ | 我的嘴巴 | wǒ de yǎnjing | my hair |
| ⑦ | 我的耳朵 | wǒ de tóufa | my nose |
| ⑧ | 我的头发 | wǒ de ěrduo | my ears |

# 第五课 猫和狗

1. Match the pictures with the Chinese.

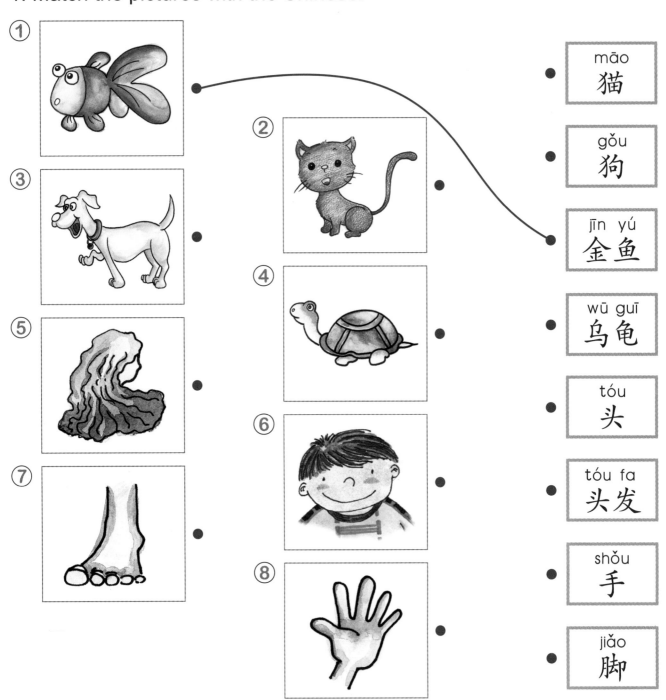

## 2. Match the parts of the body with the animals.

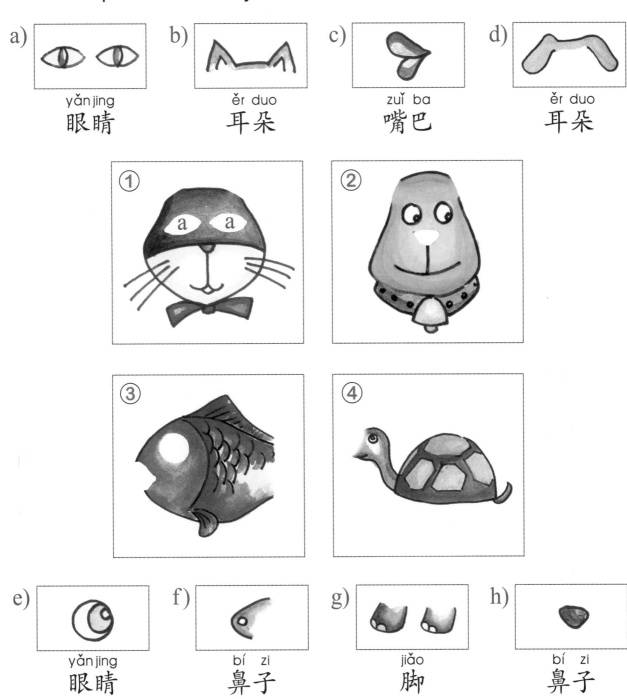

a)
yǎn jing
眼睛

b)
ěr duo
耳朵

c)
zuǐ ba
嘴巴

d)
ěr duo
耳朵

①
②
③
④

e)
yǎn jing
眼睛

f)
bí zi
鼻子

g)
jiǎo
脚

h)
bí zi
鼻子

3. Match the Chinese with the *pinyin* and meaning.

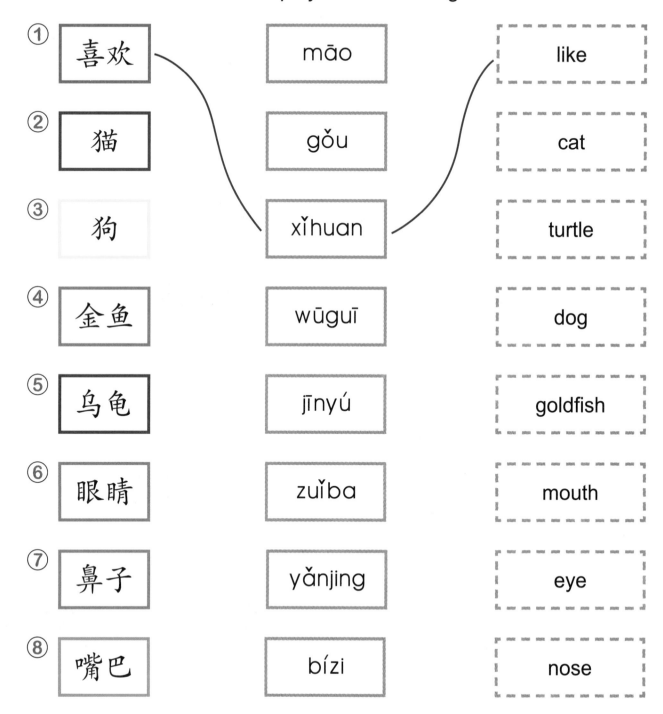

① 喜欢        māo        like

② 猫          gǒu        cat

③ 狗          xǐhuan     turtle

④ 金鱼        wūguī      dog

⑤ 乌龟        jīnyú      goldfish

⑥ 眼睛        zuǐba      mouth

⑦ 鼻子        yǎnjing    eye

⑧ 嘴巴        bízi       nose

## 4. Write the strokes.

① 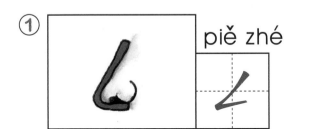 piě zhé

②  wān gōu

③ 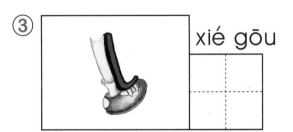 xié gōu

④ 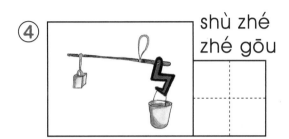 shù zhé zhé gōu

⑤ 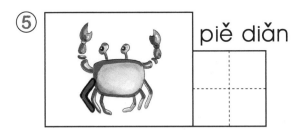 piě diǎn

⑥ 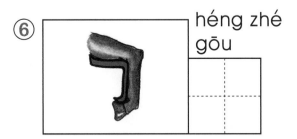 héng zhé gōu

⑦ 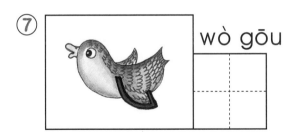 wò gōu

⑧ 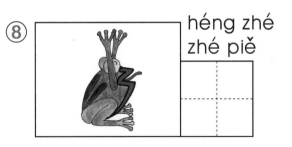 héng zhé zhé piě

5. Match the heads with their bodies.

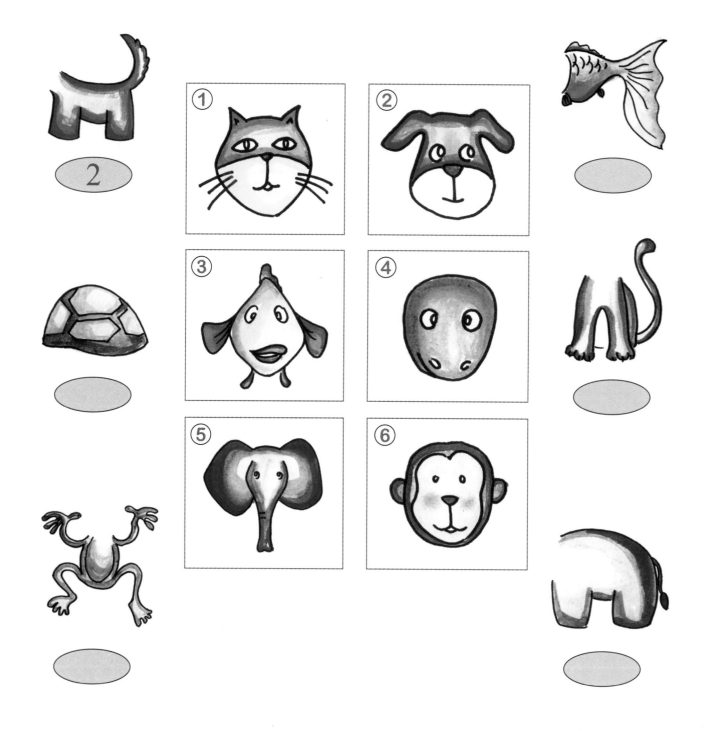

## 6. Find and match the strokes with the ones given. Trace over them.

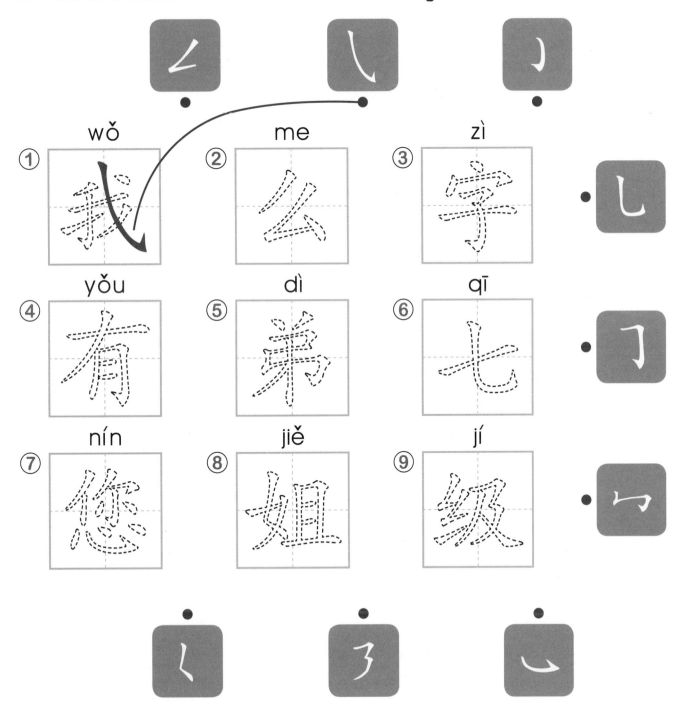

## 7. Draw the missing buttons.

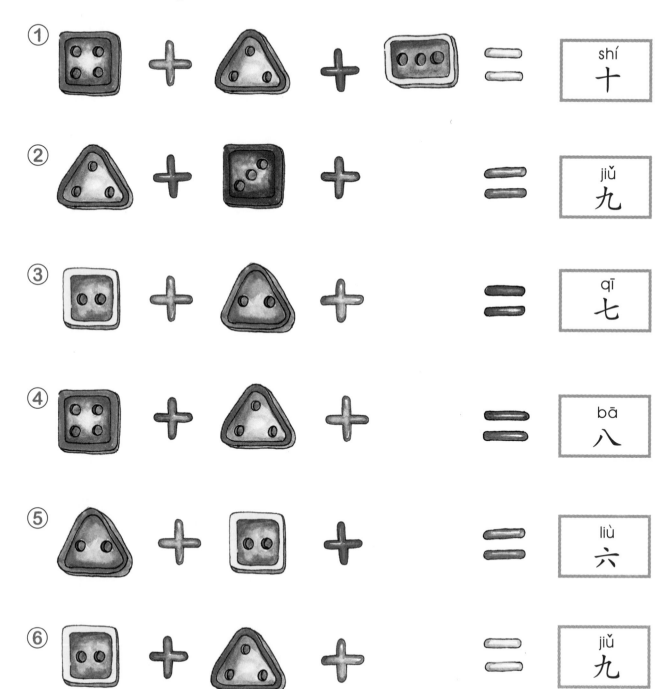

8. Match the Chinese with the English.

① lè le xǐ huan māo
乐乐喜欢猫。

② jīng jing xǐ huan gǒu
京京喜欢狗。

③ dīng yī xǐ huan wū guī
丁一喜欢乌龟。

④ tián lì xǐ huan jīn yú
田力喜欢金鱼。

⑤ wǒ ài bà ba mā ma
我爱爸爸、妈妈。

⑥ wǒ yǒu gē ge
我有哥哥。

⑦ nǐ jiào shén me míng zi
你叫什么名字?

⑧ wǒ shàng yī nián jí
我上一年级。

Jingjing likes dogs.

Lele likes cats.

Tian Li likes goldfish.

I have an elder brother.

Ding Yi likes turtles.

What's your name?

I'm in Grade 1.

I love my mum and dad.

第六课 红色、蓝色

1. Match the pictures with the Chinese.

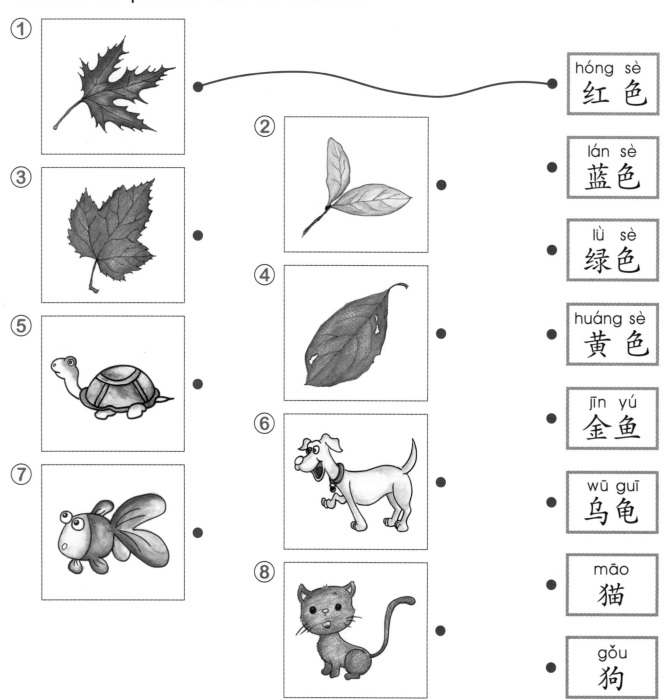

2. Count up and write down the number of each shape.

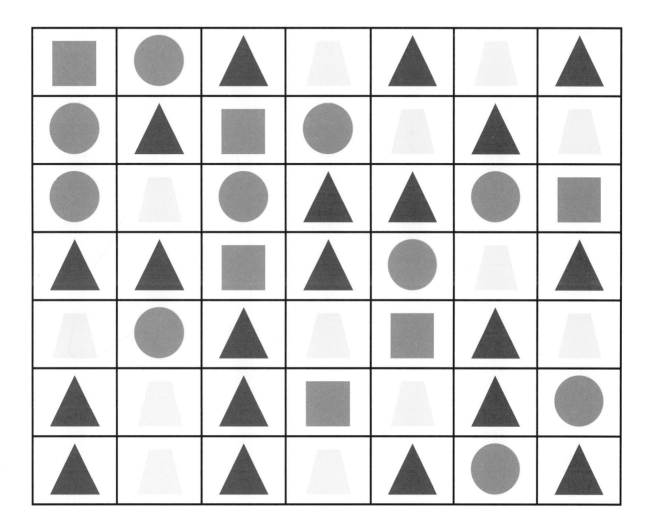

lán sè
蓝色

hóng sè
红色

lǜ sè
绿色

huáng sè
黄色

3. Match the Chinese with the *pinyin* and meaning.

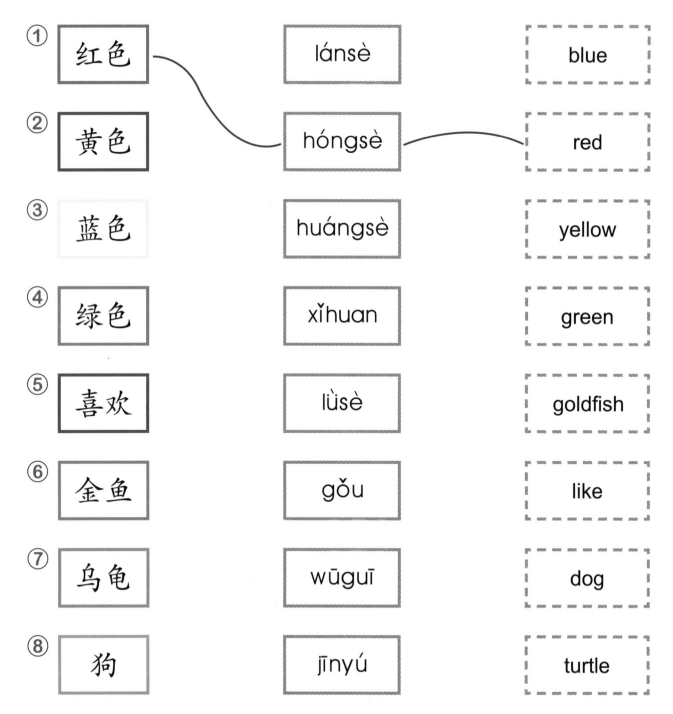

| ① 红色 | lánsè | blue |
| ② 黄色 | hóngsè | red |
| ③ 蓝色 | huángsè | yellow |
| ④ 绿色 | xǐhuan | green |
| ⑤ 喜欢 | lǜsè | goldfish |
| ⑥ 金鱼 | gǒu | like |
| ⑦ 乌龟 | wūguī | dog |
| ⑧ 狗 | jīnyú | turtle |

## 4. Write the strokes.

① 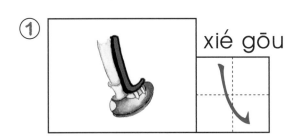 xié gōu

② 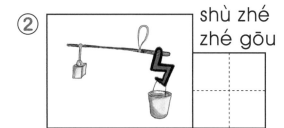 shù zhé
zhé gōu

③ 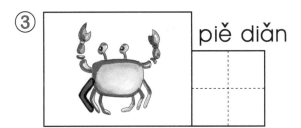 piě diǎn

④ 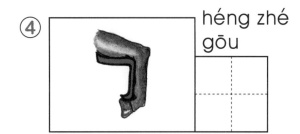 héng zhé
gōu

⑤  wò gōu

⑥ 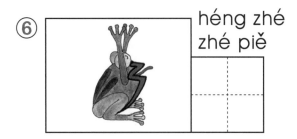 héng zhé
zhé piě

⑦ 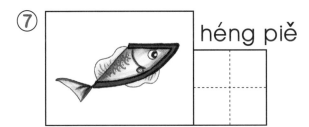 héng piě

⑧ 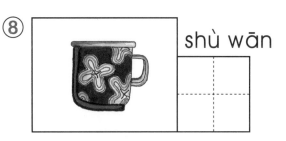 shù wān

5. Complete the drawings and colour them in. Match the parts of the body with the Chinese.

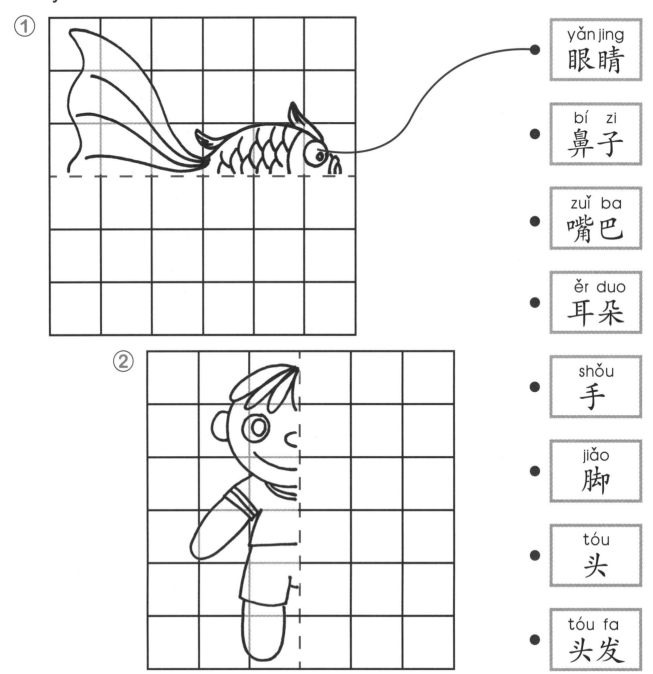

yǎn jing
眼睛

bí zi
鼻子

zuǐ ba
嘴巴

ěr duo
耳朵

shǒu
手

jiǎo
脚

tóu
头

tóu fa
头发

6. Find and match the strokes with the ones given. Trace over them.

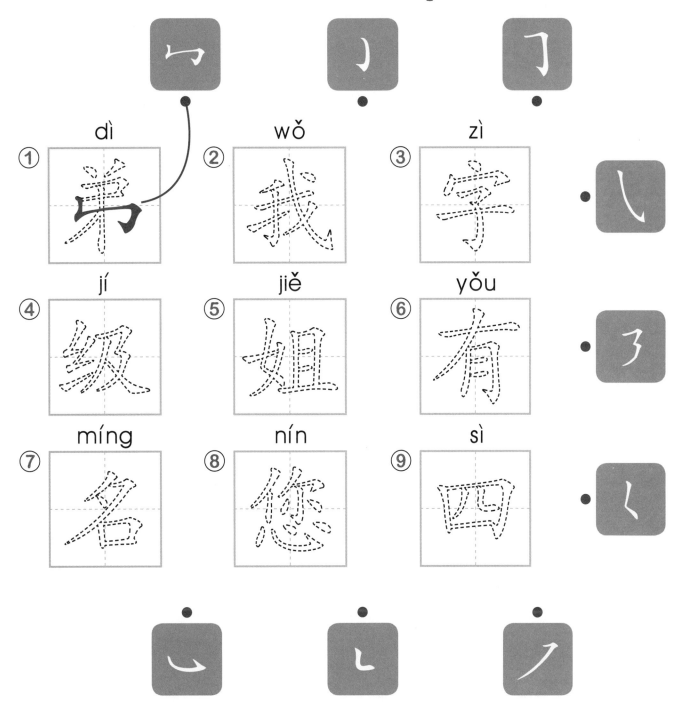

7. Trace the dotted line of each shape with the colours given. Count up and write down the number.

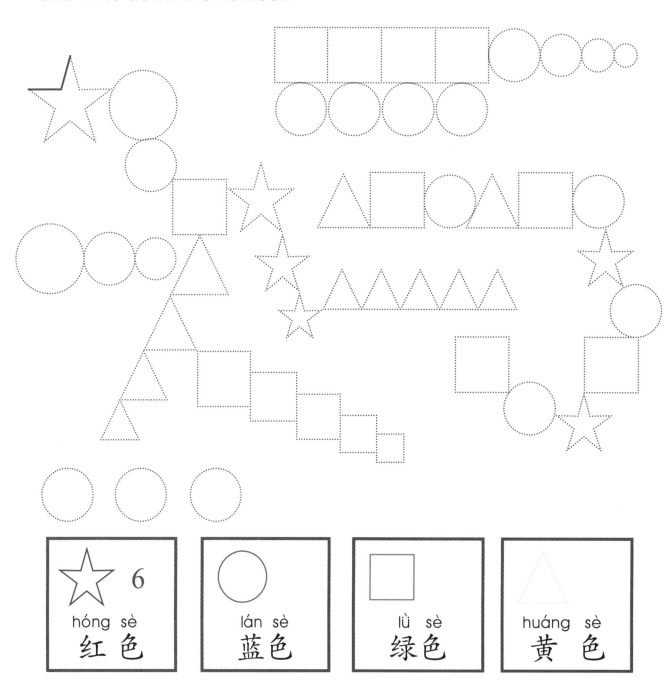

| | | | |
|---|---|---|---|
| ☆ 6 | ○ | □ | △ |
| hóng sè | lán sè | lù sè | huáng sè |
| 红色 | 蓝色 | 绿色 | 黄色 |

## 8. Match the Chinese with the English.

① dīng yī xǐ huan hóng sè
丁一喜欢 红色。

② lè le xǐ huan huáng sè
乐乐喜欢 黄色。

③ tián lì xǐ huan lán sè
田力喜欢 蓝色。

④ jīng jing xǐ huan lǜ sè
京京喜欢 绿色。

⑤ dīng yī xǐ huan wū guī
丁一喜欢 乌龟。

⑥ lè le xǐ huan māo
乐乐喜欢 猫。

⑦ tián lì xǐ huan jīn yú
田力喜欢 金鱼。

⑧ jīng jing xǐ huan gǒu
京京喜欢 狗。

Jingjing likes green.

Ding Yi likes red.

Lele likes yellow.

Tian Li likes blue.

Jingjing likes dogs.

Ding Yi likes turtles.

Lele likes cats.

Tian Li likes goldfish.

# 第七课 苹果、香蕉

## 1. Match the pictures with the Chinese.

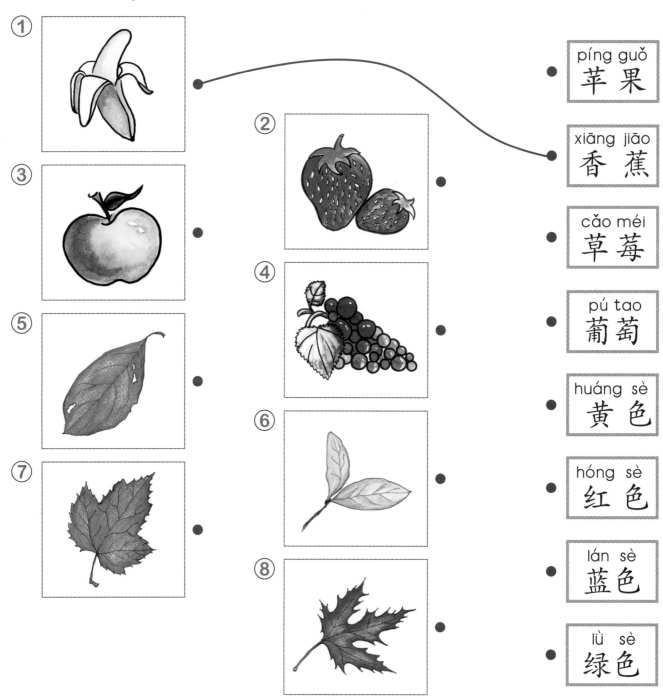

① (banana)

② (strawberries)

③ (apple)

④ (grapes)

⑤ (leaf)

⑥ (leaf)

⑦ (leaf)

⑧ (leaf)

píng guǒ
苹 果

xiāng jiāo
香 蕉

cǎo méi
草 莓

pú tao
葡 萄

huáng sè
黄 色

hóng sè
红 色

lán sè
蓝 色

lù sè
绿 色

2. Read the Chinese below and then colour in the picture.

hóng sè de cǎo méi
红色的草莓

lǜ sè de píng guǒ
绿色的苹果

huáng sè de gǒu
黄色的狗

lán sè de pú tao
蓝色的葡萄

huáng sè de xiāng jiāo
黄色的香蕉

lǜ sè de wū guī
绿色的乌龟

lán sè de māo
蓝色的猫

hóng sè de jīn yú
红色的金鱼

3. Match the Chinese with the *pinyin* and meaning.

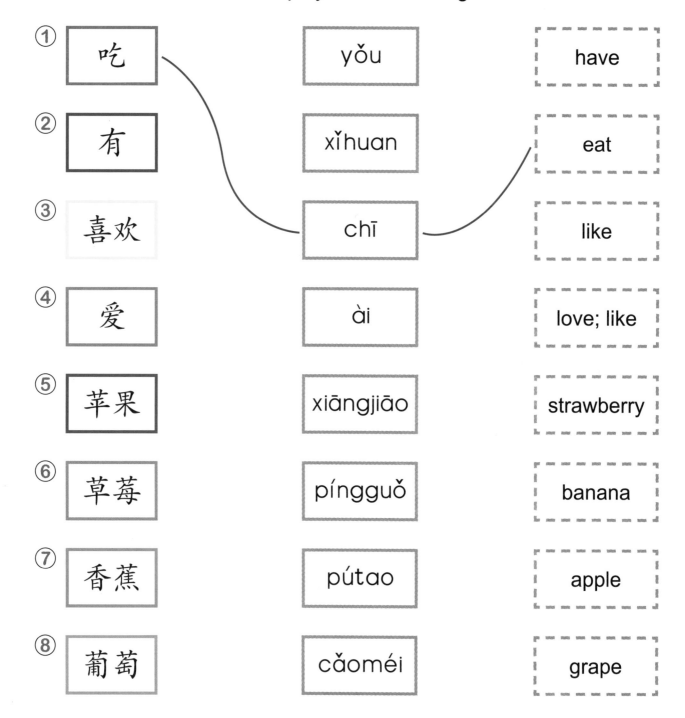

① 吃

② 有

③ 喜欢

④ 爱

⑤ 苹果

⑥ 草莓

⑦ 香蕉

⑧ 葡萄

yǒu

xǐhuan

chī

ài

xiāngjiāo

píngguǒ

pútao

cǎoméi

have

eat

like

love; like

strawberry

banana

apple

grape

## 4. Write the strokes.

① 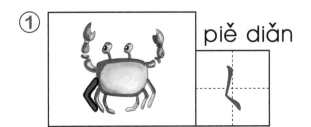 piě diǎn

② 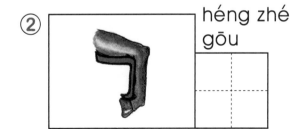 héng zhé gōu

③ 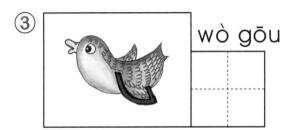 wò gōu

④ 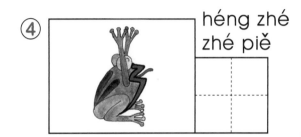 héng zhé zhé piě

⑤ 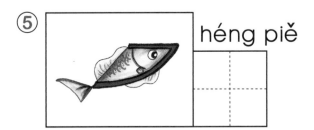 héng piě

⑥ 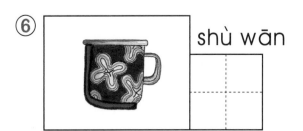 shù wān

⑦  héng gōu

⑧ 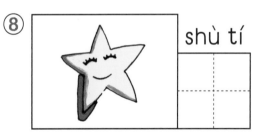 shù tí

5. Count up and write down the number of each shape.

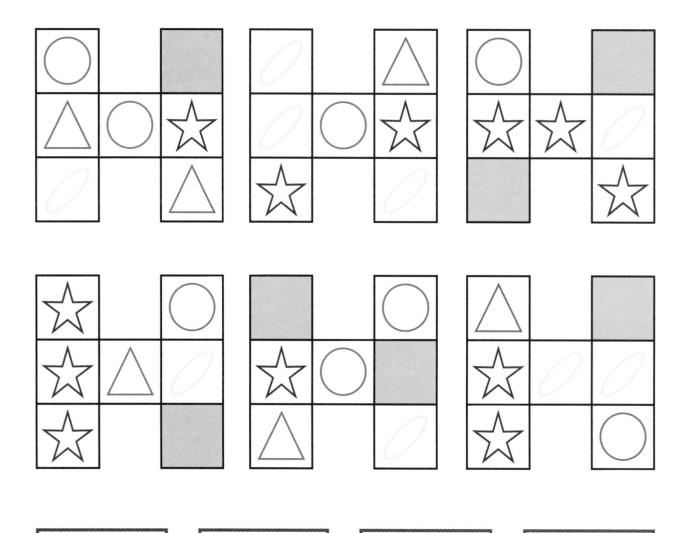

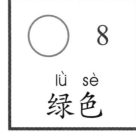

lù sè
绿色

lán sè
蓝色

hóng sè
红色

huáng sè
黄色

## 6. Find and match the strokes with the ones given. Trace over them.

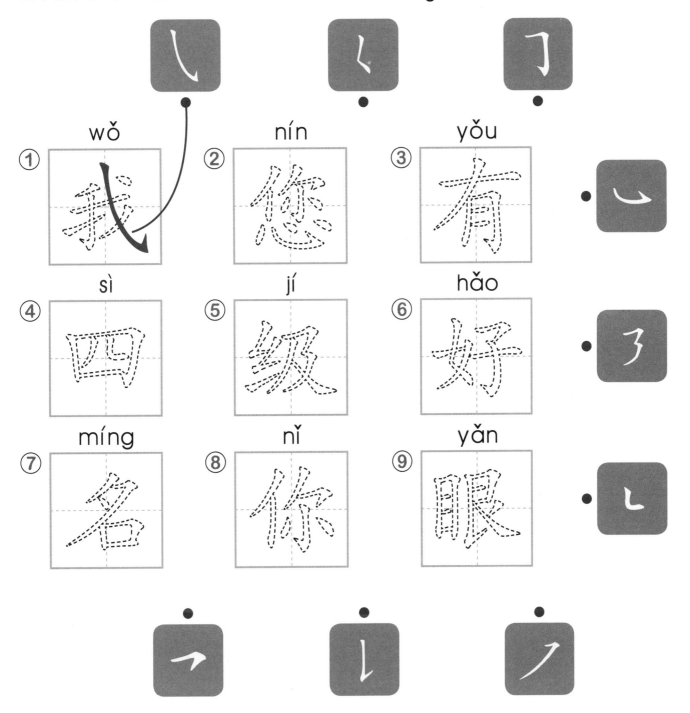

7. Colour in the pictures according to the patterns.

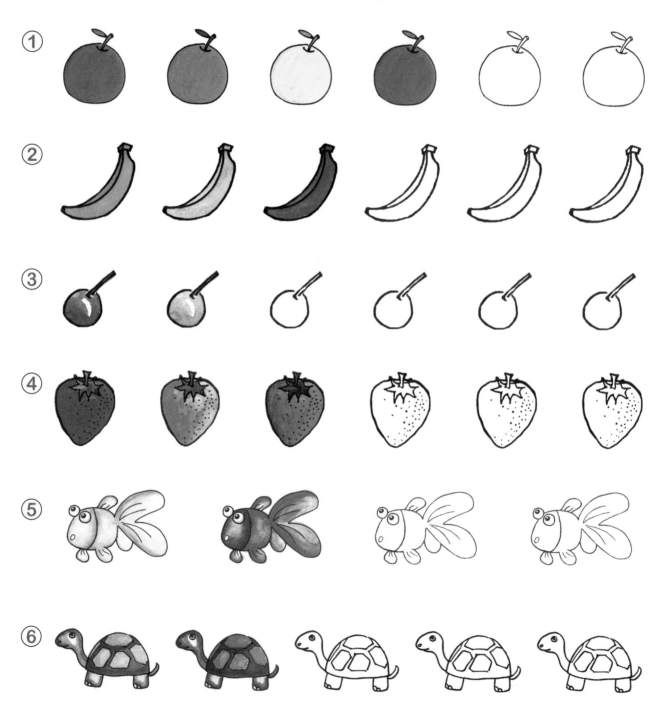

8. Match the Chinese with the English.

① lè le xǐ huan lán sè   lǜ sè
乐乐喜欢蓝色、绿色。

② jīng jing xǐ huan māo   gǒu
京京喜欢 猫、狗。

③ dīng yī xǐ huan wū guī   jīn yú
丁一喜欢乌龟、金鱼。

④ tián lì xǐ huan chī píng guǒ
田力喜欢吃苹果。

⑤ bà ba xǐ huan chī xiāng jiāo
爸爸喜欢吃香蕉。

⑥ mā ma xǐ huan chī cǎo méi
妈妈喜欢吃草莓。

⑦ jiě jie xǐ huan chī pú tao
姐姐喜欢吃葡萄。

⑧ mèimei xǐ huan hóng sè
妹妹喜欢 红色。

Jingjing likes cats and dogs.

Lele likes blue and green.

Tian Li likes apples.

Dad likes bananas.

Ding Yi likes turtles and goldfish.

Elder sister likes grapes.

Mum likes strawberries.

Younger sister likes red.